Shorts Jyngl

IRENE RAWNSLEY

Lluniau gan Tony Kerins

Lluniau gan Tony Kerins
Addasiad Cymraeg gan Emily Huws

© Argraffiad Saesneg, Irene Rawnsley 1995
ⓗ Argraffiad Cymraeg, Gwasg Addysgol Drake 2001
ⓗ Yr addasiad Cymraeg ACCAC

ISBN 0 86174 433 0

Cyhoeddwyd gan Wasg Addysgol Drake
Ffordd Sain Ffagan, Y Tyllgoed,
Caerdydd CF5 3AE
Ffôn: 029 2056 0333
Ffacs: 029 2055 4909
e-bost: drakegroup@btinternet.com
y we: www.drakegroup.co.uk

Argraffwyd yng Nghymru

1

Pnawn dydd Gwener oedd hi. Roedd plant
Dosbarth 3 wedi gwisgo'u cotiau ac yn aros
mewn rhes i fynd adref. Roedd Llew yn y cefn
oherwydd fod sip ei anorac wedi mynd yn sownd.
Roedd o mor brysur gyda'r sip, bu bron iddo golli
beth roedd Mr Puw yr athro yn ei ddweud.

"Dyma lythyr i chi i gyd," meddai Mr Puw.
"Peidiwch â'i golli a pheidiwch ag anghofio ei roi
i'ch rhieni. Newyddion da sydd ynddo fo."

Roedd Llew yn ysu am gael gwybod beth
oedd y newyddion da. Rhuthrodd ar draws y
maes chwarae i gyfarfod ei fam.

"Brysia! Agor y llythyr yma," meddai. "Mae
Mr Puw yn dweud fod newyddion da ynddo fo."

"Dweud helo wrtha i gynta!" chwarddodd ei
fam, ond agorodd y llythyr. Darllenodd o a
dweud wrtho, "Mae Dosbarth 3 yn mynd i gael
gwersi pêl-droed. Wythnos nesa. Cewch chi
fenthyg esgidiau gan yr usgol."

5

"Waw!" gwaeddodd Llew. "Pêl-droed go iawn!
Betia i y sgoria i un deg pump o gôls!"

Rhoddodd ei fam y llythyr yn ei bag.

"Beth am grys rhesog a sanau? Ga i ddillad
pêl-droed go iawn?" crefodd Llew.

"Cawn ni weld," meddai Mam.

Gartref fedrai Llew ddim tynnu'i anorac ac
roedd yn rhaid i'w fam ei helpu.

"Dwi'n falch na thorraist ti'r sip. Fedra i ddim
prynu côt arall iti tan y mis nesa," meddai.

"Dydw i ddim eisio côt newydd," meddai
Llew, "ond ga i ddillad pêl-droed go iawn? Os
gweli di'n dda?"

"Gofyn imi ar ôl te," meddai ei fam.

Crempogau efo jam ac afal gawson nhw i de.
Crempogau oedd hoff fwyd Llew. Ond heddiw
llyncodd bopeth yn gyflym. Gollyngodd ei gyllell
a fforc yn swnllyd.

"Addewaist ti siarad am ddillad pêl-droed ar
ôl te," meddai.

Estynnodd Mam lythyr Mr Puw o'i bag.

"*Bydd pob plentyn angen hen grys T a sanau,*"
darllenodd.

"Dim dillad pêl-droed go iawn?" meddai Llew.

"Nage, mae'n ddrwg gen i. Heblaw am shorts.
Mae Mr Puw eisio ichi i gyd gael shorts newydd.
Awn ni i'r farchnad fory i chwilio am rai."

Doedd Llew ddim yn fodlon ond roedd yn adnabod ei fam. Roedd hi wedi penderfynu a dyna ni. Edrychodd ar ei luniau o arwyr pêl-droed trwsiadus. "Betia i fod ganddyn nhw ddillad pêl-droed go iawn o'r cychwyn cynta," meddyliodd. "Nid hen grysau T."

Y noson honno gorweddai yn effro yn meddwl. Byddai'n gofalu bod ei fam yn prynu shorts pêl-droed. Roedd o eisiau shorts pêl-droed gwyn go-iawn. Wedyn gwyddai y medrai sgorio llawer o gôls.

2

Ar ôl brecwast drannoeth cychwynnon nhw i
brynu'r shorts newydd. Roedd y farchnad ddwy
stryd draw o ble roedd Llew yn byw. Ar y ffordd
gwelson nhw Cai a Siôn o Ddosbarth 3. Roedd
Cai a Siôn yn byw wrth ymyl Llew. Roedden
nhw'n cicio pêl ar ochr y ffordd.

Dyrnodd Siôn y bêl draw ato a chiciodd Llew
hi'n ôl.

"Tisio chwarae?" galwodd Cai.

"Fedra i ddim. Ddim rŵan. Rydw i'n mynd
efo Mam i brynu shorts pêl-droed newydd."

"Rydan ni wedi cael rhai," gwaeddodd Cai.

Roedd y farchnad yn llawn iawn. Edrychai
pawb ar y pentyrrau uchel o ffrwythau a llysiau
ar y stondinau. Roedd yno esgidiau a dillad ar
werth o dan doeau cynfas rhesog. Gwerthai un
dyn shorts.

"Dowch i brynu shorts jyngl!" gwaeddodd.

Gwisgai het wellt lydan ar ei ben a phâr anferth o shorts jyngl dros ei drowsus. Arnyn nhw roedd llun mwncïod yn gwenu ar ben coed mawr gwyrdd.

"Mawr neu fach, maen nhw'n ddigon rhad," meddai'r dyn.

"Dim diolch,"meddai Llew. "Rydw i'n cychwyn gwersi pêl-droed yr wythnos nesaf. Rydw i angen shorts pêl-droed iawn."

Tynnodd ar law ei fam. Gwthiodd y ddau
drwy'r dyrfa yn chwilio am shorts pêl-droed iawn.
Cawson nhw hyd i ddigon o shorts oedd yn rhy
fawr ac un pâr bychan gwyn oedd yn rhy fach.
Pan gawson nhw hyd i rai yn ffitio Llew roedden
nhw'n rhy ddrud o lawer.

"Bydd raid inni brynu'r shorts jyngl," meddai
Mam. "Mae'r lliwiau'n hyfryd. Bydd yn well gen
ti nhw na'r rhai gwyn dwi'n siwr."

Gwnaeth Llew stumiau. "O, Mam!" meddai.
"Ond –"

"Dim ond," meddai ei fam.

Yn ôl â nhw'n araf at y dyn yn gwerthu shorts jyngl. Roedd y pentwr ar ei stondin wedi mynd yn llai o lawer.

"Gwyddwn i y byddet ti'n dod yn ôl. Rydw i wedi cadw pâr ar dy gyfer di," meddai'r dyn.

Daliodd bâr o shorts jyngl yn erbyn trowsus Llew.

"Ffitio'n berffaith!" meddai gan wenu.

Agorodd mam Llew ei phwrs a thalodd am y shorts. Rhoddodd y dyn nhw mewn bag a'u rhoi i Llew.

"Dyna ti, ngwas i. Hwyl iti wrth eu gwisgo nhw!"

Wenodd Llew ddim. "Hoffwn i petaen nhw'n shorts iawn," meddai.

"Shorts jyngl ydi'r pethau nesaf at hynny," meddai ei fam.

Ar y ffordd adref gwelson nhw Tesni a Pam o Ddosbarth 3 yn cicio pêl yn erbyn ffens. Roedden nhw'n byw yn yr un stryd â Llew.

"Rydan ni'n dyheu am y wers bêl-droed," medden nhw. "Mae gynnon ni shorts newydd!"

"A finnau," meddai Llew. Ond wnaeth o ddim agor ei fag i'w dangos iddyn nhw.

3

Pnawn dydd Llun roedd Dosbarth 3 yn aros am
eu gwers bêl-droed gyntaf. Roedd pawb yn llawn
cyffro ac yn swnllyd iawn, yn swingio eu bagiau
pêl-droed. Roedd Llew yn y cefn â'r shorts jyngl
yn ei fag. Doedd o ddim eisiau'u gwisgo.

Daeth Mr Puw i'r ystafell newid yn cario llond
bocs mawr o esgidiau pêl-droed. Buon nhw
hydoedd yn cael hyd i esgidiau i ffitio pawb.

"Brysiwch i wisgo'ch dillad pêl-droed
amdanoch," meddai.

Aeth Llew i newid mewn cornel y tu cefn i'r
drws.

23

Pan oedd pawb yn barod gwaeddodd Mr Puw,
"Pawb i sefyll mewn rhes!"

Gofalodd Llew ei fod yn sefyll yn y cefn eto.
Doedd o ddim eisiau i neb weld ei shorts jyngl a
chuddiodd y tu cefn i Cai. Edrychodd i lawr i
weld beth roedd Cai yn ei wisgo a synnu'n arw.

Gwisgai Cai shorts jyngl hefyd! Rhoddodd
Llew bwniad iddo yn ei gefn a dweud, "Mae gen i
shorts fel'na!"

"Oes," meddai Cai. "Ac mae gan Pam a Tesni
a Siôn rai hefyd!"

Roedd o'n dweud y gwir. Roedd y ffrindiau o
stryd Llew i gyd yn gwisgo shorts jyngl. Gwenodd
Mr Puw.

"Pump o blant gyda'r un math o shorts!"
meddai. "Mae bownd o fod yn record!"

"Ac rydan ni i gyd yn byw yn Stryd y Bryn,"
meddai Llew.

"Felly cewch chi i gyd chwarae i'r un tîm...tîm
Llewod y Bryn!"

Wedi i Mr Puw ddewis tri thîm arall aethon
nhw i'r cae. Buon nhw'n chwarae pêl-droed pump
bob ochr nes roedd hi'n amser mynd adref.
Curodd tîm *Llewod y Bryn* y lleill i gyd. Nhw oedd
y pencampwyr meddai Mr Puw. Sgoriodd Llew
bum gôl.

Yn yr ystafell newid tynnodd y plant eu hesgidiau mwdlyd a newid eu dillad.

"Gofalwch fod y dillad wedi'u golchi erbyn dydd Llun nesaf," meddai Mr Puw. "Peidiwch â'u gadael i'ch mam ei wneud. Golchwch nhw gynted ag yr ewch chi adref rhag ichi anghofio."

Roedd Llew yn barod o flaen pawb a rhedodd
at ei fam wrth y giât. Dywedodd wrthi iddo sgorio
pum gôl ac am *Llewod y Bryn*.

"Well inni frysio adref," meddai Llew. "Mae'n
rhaid imi llnau fy sgidiau a golchi fy shorts!"

Ar y ffordd adref i gael te yn hwyrach,
gwenodd Mr Puw wrtho'i hun yn y car. Ar leiniau
dillad Stryd y Bryn roedd pum pâr o shorts jyngl
yn chwythu yn y gwynt.

Am yr awdur

Rydw i'n byw yn Dales Efrog ac ers pan oeddwn yn fach, rydw i wedi bod wrth fy modd yn ysgrifennu barddoniaeth a storïau. Y dyddiau yma byddaf yn ysgrifennu mewn ystafell yn edrych allan ar gaeau a bryniau ac yn aml daw ein cathod du a gwyn, Silver a Fagley, ataf. Gadawyd Fagley pan oedd yn gath fach a chafodd ei enwi ar ôl y bws cyntaf aeth heibio inni ar ein ffordd adref.

Mae fy mhlant i wedi tyfu i fyny erbyn hyn ond mae gen i ddau ŵyr, Luke a Peter, sy'n dangos diddordeb mawr yn fy llyfrau.

Llyfrau Brig y Goeden eraill ar y lefel hon:

Y Sgwinc gan Rita Ray
Bosgi Stryd y Coed gan Rita Ray
Teigr Amryliw Mr Stofflys gan Robin Mellor
Y Merched Mewn Mwgwd gan John Coldwell
Tric y Merched Mewn Mwgwd gan John Coldwell